JOLLY  HOTEL

LIGURE

La grazia dei portici, lo sfarzo di molti palazzi nobiliari, l'atmosfera ottocentesca e un po' parigina dei viali, dei lungofiumi e dei caffè, delle mansarde, delle piazze e piazzette, dei monumenti e delle fontane, della zona collinare: Torino offre molte tentazioni che invitano ad ogni angolo a passeggiare.

Charming arcades, magnificent nobiliary mansions, nineteenth-century Parisian-like boulevards, embankments and characteristic cafés, attics, squares, monuments, fountains, hillsides: an alluring prospect inviting you to take a relaxing walk in Turin.

JOLLY ● HOTEL
LIGURE

La grazia dei portici, lo sfarzo di molti palazzi nobiliari, l'atmosfera ottocentesca e un po' parigina dei viali, dei lungofiumi e dei caffè, delle mansarde, delle piazze e piazzette, dei monumenti e delle fontane, della zona collinare: Torino offre molte tentazioni che invitano ad ogni angolo a passeggiare.

Charming arcades, magnificent nobiliary mansions, nineteenth-century Parisian-like boulevards, embankments and characteristic cafés, attics, squares, monuments, fountains, hillsides: an alluring prospect inviting you to take a relaxing walk in Turin.

buongiorno TORINO

COLLANA: BABELIS TURRIS
© 2003, Priuli & Verlucca, editori
2003, prima ristampa
Stradale Torino, 11 / 10018 Pavone Canavese (To) Italy
C.P. 245 / 10015 Ivrea (To) Italy
Telefono +39 0125 23 99 29
Fax +39 0125 23 00 85
E-mail: info@priulieverlucca.com
www.priulieverlucca.com

Finito di stampare
nel mese di dicembre 2003 presso
Mariogros / Torino

Fotoriproduzione e prestampa
DigiPress / Romano Canavese (To)

Rilegato presso
Legatoria Lombarda / Arluno (No)

Le didascalie delle fotografie
sono a cura dell'Editore e sono state redatte da
Fabio Bourbon

Stampato su carta patinata
Allegro Gloss
prodotta nello stabilimento
Biberist M-Real
e distribuita in Italia da
Cartaria Subalpina spa / Moncalieri (To)

ISBN 88-8068-229-6

buongiorno TORINO

introduzione di
MASSIMO GRAMELLINI
fotografie di
DARIO FUSARO

PRIULI & VERLUCCA, EDITORI

Questo libro di fotografie sfida il luogo comune contro cui ogni torinese, anche i pochi che non lo alimentano, è chiamato di continuo a scornarsi: che Torino fosse meglio «una volta». Una volta eravamo la capitale: d'Italia, del cinema, dei telefoni e della moda, una volta. Una volta c'era il Grande Torino, una volta. Una volta non c'erano i meridionali, gli arabi e la delinquenza, una volta. C'erano solo i montanari inurbati delle valli, che lavoravano duro, obbedivano al Re, leggevano Cuore e borbottavano che però Torino era molto meglio, una volta. Perché c'è sempre «una volta» che volteggia nei pensieri dei torinesi. La nostalgia per una città immaginaria è il loro modo di mostrarsi romantici nei confronti di quella reale in cui vivono sottovalutandola, e che ai loro figli sembrerà, nel ricordo, bellissima.

Gli scatti delle prossime pagine incrociano spesso la poesia e oltre la bravura del fotografo testimoniano la fotogenia del soggetto. Torino non solo è stata una meraviglia. Lo è ancora. Nonostante attraversi una delle sue periodiche crisi di identità e se la faccia un po' sotto dalla paura (che presto diventerà voglia) di cambiare, Torino è un amore che di rado era apparso tanto luminoso. Di sicuro non negli Anni 70-80, quando il Quadrilatero non era zona di ristoranti ma di agguati. E palazzi, portici e marciapiedi erano più sporchi e più bui (periferie a parte, ma le periferie purtroppo sono sempre a parte, in tutto il mondo). Nel lasciarmi trasportare dalle immagini di Dario Fusaro, soffermandomi su quelle che emanano una sensazione di appartenenza e rimandano a un aneddoto della vita di Torino o della mia, mi sono sorpreso a frequentare anch'io il giochino del «però una volta...» e ho scoperto di avere le idee un po' confuse sulle tante «volte» e svolte della città. Così ho pensato di condividere con i lettori un breve ripasso di Torino in forma di dizionario. Per ragioni di spazio ho escluso le voci che un torinese non può non conoscere: A come Agnelli, C come Cavour, F come Fiat, O come Olimpiadi, P come Pulici e Platini...

Amedeo. Vittorio Amedeo II, primo duca sabaudo a diventare re nel 1713. Si alleò con e contro tutti, vendicò Pietro Micca cacciando i francesi dalla città (ma per parecchio tempo non pagò la pensione alla vedova) e finanziò la Basilica di Superga in segno di ringraziamento per la vittoria. Più tardi abdicò per sposare, oltre alla regina, una donna che gli piaceva davvero. Poi ci ripensò: non sulla moglie, ma sul trono, cercando di riprenderselo, ma il figlio e successore Carlo Emanuele III, gran bigotto, lo fece arrestare. L'ambasciatore francese lo descriveva così: «Il Re vuole e disvuole, diffida di tutti, è consumato dalla propria irrequietudine, ha ingegno ma è sempre incerto. Ora tocca le nubi a guisa d'aquila, ora va carponi come una talpa». Quel ritratto è scritto da un nemico, ma coglie un brandello di verità: su Amedeo, sui Savoia e forse su noi torinesi. Aquile e talpe, ingegni «ma sempre incerti».

*B*aco. I libri di storia individuano l'alba della rivoluzione industriale in un filatoio idraulico per la seta, sorto nel 1718 a Derby in Inghilterra. Non aggiungono quasi mai che quel filatoio era la copia di un altro, proprietà di un monsù Peyron che operava nei pressi di Torino già alla fine del Seicento. Fu un caso di spionaggio industriale, ma anche la dimostrazione che quando mancano i capitali e la cultura del rischio, le grandi idee soffocano e prima o poi se ne vanno.

*C*olline. Le rare volte in cui si parla di Torino nei telegiornali, l'immagine sullo sfondo è sempre Mirafiori. Al massimo, la Mole. Mai le colline verdi che si specchiano nel Po. Le avesse avute Milano, ne avrebbe imposto il culto a tutta Italia. C'è riuscita con uno stagno come i Navigli!

*D*olce. Ci sono dieci ottime ragioni per amare Torino. Sulle altre nove si può discutere, ma la decima è il Festivo: la torta alla meringa ricoperta di scaglie di cioccolato che un'antica pasticceria torinese prepara solo su ordinazione per non inflazionare i mercati del paradiso.

*E*migrati. O immigrati, dipende dai punti di vista. Torino ne ha paura, ma intanto sono duemila anni che li ingloba, con una rassegnazione non priva di slanci. Giova sempre ricordare che i primi torinesi furono soldati e contadini centro-meridionali. Terroni che i romani spedirono a popolare la colonia dei Taurini.

*F*uori dal letto. Espressione tipicamente torinese, in risposta alla domanda automatica «Come stai?», cui altrove si replica con l'altrettanto automatico «Bene e tu?». Implica una visione precaria dell'esistenza, di cui salute e benessere rappresenterebbero solo intervalli momentanei. In realtà è una difesa preventiva dai contraccolpi dell'entusiasmo. «Fà nen parej c'am pias (non fare così, perché mi piace)». Dante trovava poco espressivo il dialetto di Torino, ma conoscete una lingua che renda in modo altrettanto formidabile il conflitto fra i sensi e la morale?

*G*obetti e Gramsci. Erano un liberale e un comunista, ma li accomuna quel che di più torinese rimane della loro lezione: la sobrietà. Un insieme di ideali utopistici temperati dall'autodisciplina e da un rigore che contempla sudore e lacrime, ma non piagnistei. Il valore politico, e forse non solo politico, del futuro.

*I*ulia Augusta Taurinorum. Siamo figli di un errore. I Taurini prendevano il nome dal prefisso celtico «tauro», che non c'entra niente coi tori, ma allude alle origini montanare. Torino dovrebbe perciò chiamarsi

Montagnino e avere come simbolo un camoscio. Non è sbagliato, invece, considerare i Taurini-Montagnini nostri degni progenitori. Quando Annibale varcò le Alpi, tutti i «barbari» del Nord si schierarono con Cartagine o con Roma. Una sola tribù, per un misto di diffidenza, testardaggine e dignità che mi pare di riconoscere, si rifiutò di allearsi sia con l'una sia con l'altra. I Taurini pagarono la loro decisione con lo sterminio, ma ci hanno lasciato in eredità il vizio pericoloso e impagabile dell'indipendenza.

Juvarra. Nonostante le prime tre lettere del cognome tradiscano una certa affinità, non era tifoso della Juve e non costruì la Basilica di Superga per farci cascare sopra l'aereo del Grande Torino, come scrissi a scuola in uno dei miei primi temi. Juvarra (sua anche la facciata di palazzo Madama) e Guarini (Consolata, San Lorenzo, palazzo Carignano) sono i due scenografi principali dello spettacolo sei/settecentesco riprodotto in queste pagine. A loro va il grazie dei torinesi per averci reso un po' più piacevole la vita.

Lagrange. Mi sono accorto di pronunciare i nomi di tante strade del centro senza più sapere cosa significhino. E allora: Lagrange era il matematico che nacque nella via omonima e fondò la Società Privata, futura Accademia delle Scienze, insieme al medico di un'altra via importante: Gianfrancesco Cigna. Barbaroux era uno dei padri di quella che sarebbe diventata la Toro Assicurazioni, Ormea e Bogino due primi ministri sabaudi del Settecento. E via Sacchi non è un omaggio all'ex allenatore del Milan, ma all'eroe che nel 1852 spense l'incendio della polveriera di Borgo Dora.

Madama. Torino è donna e delle donne torinesi ha l'eleganza, lo spirito di sacrificio e un'attitudine alla concretezza che qualche volta le impedisce di volare in alto, ma la mette al riparo dal rischio di sfracellarsi. Madama è il nome di uno dei suoi palazzi più belli (in onore della reggente Cristina). E un'altra donna, della domenica, è presente nel titolo del suo romanzo giallo più famoso, scritto da Fruttero & Lucentini. Il primo a chiamarla «Madre» fu il vescovo Massimo, verso la fine del IV secolo. Poi vennero le grandi chiese dedicate al culto della Madonna. La Gran Madre, appunto. E la Consolata. Né può essere un caso che sia proprio madama Torino a custodire il possibile sudario del Cristo. L'elemento femminile attraversa la città fin dalle origini con il culto celtico delle Matrone, divinità che simboleggiano le energie vitali e che sono alla base di un'altra importantissima M: quella di Magia.

Nietzsche. «Trasmette un senso superbo di libertà». Così il filosofo tedesco definì Torino. Subito dopo impazzì.

Obbedire. Città di montanari, e poi di contadini e di operai, Torino ha l'obbedienza gerarchica nel dna. Ma non è mai stata, la sua, l'obbedienza viscida del servo. Semmai quella dignitosa e fedele del soldato. Dopo il fallimento dei moti del 1848, all'ambasciatore borbonico di Napoli che lo invitava a sospendere le libertà costituzionali che il Piemonte si rifiutava di revocare, unico regno in tutta l'Europa continentale, Vittorio Emanuele II rispose: «Le condizioni in cui versa il vostro Stato vi autorizzano più a chiedere consigli che a darne. Nel mio non vi sono né traditori né spergiuri». Se anche a distanza di 150 anni queste parole continuano a riempirvi d'orgoglio, siete proprio torinesi.

Poveri vergognosi. Così a Torino chiamavano una volta i disoccupati che, pur avendone bisogno, non osavano chiedere l'elemosina e anche per questa loro dignità erano considerati meritevoli di assistenza da parte delle tante associazioni caritatevoli della città. Venivano contrapposti all'altra categoria di poveri, che le leggi definivano «accattoni perdigiorno», da arrestare o espellere senza troppa pietà. Una distinzione settecentesca, quella fra poveri vergognosi e arroganti, che per molti torinesi risulta sempre attuale.

Quinto Glizio Atilio Agricola. Il primo torinese illustre della storia. Ben 14 epigrafi narrano la sua brillante carriera di governatore della Spagna Citeriore, pretore in Pannonia e prefetto di Roma intorno al 105 d.C. Nemmeno una, però, segnala un suo solo atto di munificenza nei confronti della città che gli aveva dato i natali e lo venerava come una «star». Qualcuno vi ravviserà un'attitudine alla parsimonia da parte delle nostre classi dirigenti che ha attraversato i secoli.

Riscatto. Torino sabauda fu il prezzo di un riscatto: il marchese del Monferrato la cedette nel 1280 al suo carceriere Tommaso di Savoia. Le dinastie hanno spesso esordi squallidi, e non è che ci sia sempre un magistrato a indagarli. Ma riscatto, per i torinesi, ha anche un significato più nobile: l'attitudine a superare le crisi con un nuovo e sorprendente cambio di identità. Successe dopo la peste del Seicento e la perdita della capitale d'Italia. Succederà ancora.

Sindaci. La Torino del dopoguerra ne ha avuti di grandi, e per tutti i gusti: da Peyron a Novelli. Qui vorrei ricordarne uno che ci ha lasciati prima di diventarlo. Il vicesindaco Domenico Carpanini, che nei giorni dell'ultima alluvione dirigeva le operazioni aggirandosi fra le strade allagate coi pantaloni arrotolati al ginocchio. Un'immagine che resterà a lungo scolpita nella memoria della città.

Theatrum Sabaudiae. Le autorità municipali e quelle del comitato olimpico si ispirino al duca Carlo Emanuele II, che nella seconda metà del Seicento, in un momento di crisi drammatica per la città (peste, fame, guerre, disoccupazione) commissionò un grande atlante che ne glorificasse le bellezze: comprese quelle non ancora realizzate, come le facciate delle due chiese di piazza San Carlo che vissero prima sulla carta che nella realtà. Le tavole propagandistiche del Theatrum Sabaudiae fecero conoscere Torino in tutte le corti d'Europa ed ebbero un effetto pratico e psicologico formidabile nel preparare l'ennesima riscossa.

Utilitaria. Torino è una città di gusto che sa produrre beni non volgari per le masse. La Cinquecento con cui Valletta andava in ufficio è un simbolo e forse anche un suggerimento per il futuro: dell'auto, e non solo.

Villaggio. «Torino è il più bel villaggio del mondo», scriveva Montesquieu nel 1728. Per certi versi lo è ancora.

Zucca. Uno dei più antichi cognomi torinesi. Eccone altri: Arpino, Beccuti, Borgesio, Calcaneo, Della Rovere, Porcello, Silo. Un elenco parziale in cui vorrei racchiudere idealmente tutti i lettori di questo libro, che sfogliando le prossime pagine si commuoveranno nel riscoprire quanto bella e unica sia la loro città.

buongiorno TORINO

1. Il «Caval 'd brons» si riflette in una pozzanghera di piazza San Carlo: anche capovolto, il monumento equestre di Emanuele Filiberto resta un simbolo della città.

2. L'eroico Pietro Micca che salvò Torino nel 1706: la sua statua si erge dinnanzi al mastio della Cittadella, sede del Museo Nazionale dell'Artiglieria.

3. Una caleidoscopica ragnatela di luci illumina la notte torinese: sulla sfavillante distesa svetta la Mole Antonelliana.

2.

4. *Visto dall'alto, il tessuto urbano di Torino pare ancor più ordinato, quasi una titanica scacchiera intersecata da bisettrici di viali alberati.*

5. *Le mille luci della città e due dei suoi emblemi più cari che si fronteggiano, la Mole Antonelliana e il Monte dei Cappuccini, con l'ottagonale Chiesa di Santa Maria.*

6. *Di che scenografia gode Torino, che quinte superbe si stagliano all'orizzonte. Sono poche le metropoli al mondo che possono vantare un simile abbraccio di monti.*

8.

7. *Il Po a San Mauro Torinese, il Monviso sullo sfondo e un solitario lampione, ma con un tramonto così tutto si trasfigura.*

8. *È dal 1731 che la gran cupola della Basilica di Superga veglia su Torino dall'alto.*
Questo capolavoro lo dobbiamo all'immaginifico genio barocco di Filippo Juvarra.

9.

9. *Un notturno così non abbisogna di commenti.*

10. *A chi mai starà brindando con il suo ineffabile sorriso, questa marmorea matrona?*
In realtà si tratta dell'allegoria della Fede, opera di Carlo Cheli, statua posta davanti alla Gran Madre di Dio.

11. *Il ritorno a Torino valeva bene la costruzione di un piccolo Pantheon:*
la Chiesa della Gran Madre di Dio fu voluta dai Savoia dopo l'umiliante parentesi napoleonica.

12.

13.

12. *Una piccola magia fotografica ed ecco che il teleobiettivo accomuna il Monviso e il Monte dei Cappuccini in un'identica, altera solitudine, l'uno al cospetto dell'altro.*

13. *L'inconfondibile mole neoclassica della Gran Madre di Dio si riflette sul Po dal 1831, ma certe luci non capitano proprio tutti i giorni.*

14. *Nessun errore: questo non è il Tamigi e i due vogatori non sono studenti di Oxford, ma canottieri sul Po. Cosa manca mai ai torinesi per sentirsi cittadini di una metropoli di respiro internazionale?*

15. 16. 17. Il Parco del Valentino è l'autentico polmone verde della metropoli:
qui prosperano una sessantina di varietà di latifoglie, trentasei di conifere
e una miriade di altre specie arbustive e floreali.

18. *Difficile dire se questo ignoto pescatore stia davvero facendo sul serio o, piuttosto, si stia beando dello spettacolo offerto dal Castello del Valentino riflesso sul Po.*

19. *La prospettiva incute soggezione, ma le vetture d'epoca esposte nel Museo dell'Automobile «Carlo Biscaretti di Ruffia» sono per l'appassionato ben più sbalorditive: la collezione torinese è, per qualità e quantità, unica in Europa.*

MUSEO DELL' AUTOMOBILE

20. 21. *Sono in molti a crederlo un'autentica vestigia del passato,*
eppure il Borgo Medievale fu realizzato «solo» nel 1884
quale pittoresco complesso di fedeli riproduzioni di case antiche
e castelli piemontesi e valdostani.
Nonostante ciò, è un luogo incantato.

22. *Lo splendido Castello del Valentino fu fatto erigere*
nel 1630 da Carlo Emanuele I per la nuora,
la «Madama Reale» Cristina di Francia. Non a caso l'archi-
tetto, Carlo di Castellamonte, lo ideò sul modello dei manieri
francesi di fine Cinquecento.

23.

25.

23. 24. Frutto dell'audace progettualità di Alessandro Antonelli, la Mole
che gli deve il nome svetta a 167 metri e mezzo da terra.
La guglia, abbattuta da un uragano il 23 maggio 1953, fu ricostruita
in cemento armato vanificando un primato: fino a quel momento l'emblema di Torino
era stato infatti il più alto edificio in muratura al mondo.

25. Nell'ambito del progetto «Luci d'artista», che nel corso degli ultimi anni
ha ornato piazze e monumenti cittadini, Mario Merz ha fregiato la Mole Antonelliana
di un'opera intitolata «Il volo dei numeri», ispirata alla serie di Fibonacci
(il pisano che introdusse in Europa le scoperte dei matematici arabi).

24.

26. Iniziata nel 1863 e conclusa nel 1897, la Mole Antonelliana avrebbe dovuto essere
la sinagoga di Torino, ma il progetto si rivelò troppo dispendioso in termini di tempo e denaro;
oggi il celebre monumento ospita il Museo del Cinema.

27. 28. 29. Nello spettacolare Museo del Cinema
sono tra l'altro ricostruiti alcuni set cinematografici (nelle immagini si riconosce
la grande statua che apparve nel film «Cabiria») e sono custoditi numerosi cimeli,
tra cui il cappello e la sciarpa di Federico Fellini.

CAFFÉ TORINO

29.

30.

GIOVANNI PLANA
DA VOGHERA
...CO E ASTRONOMO GRANDISSIMO
...L 1803 AL 1864
...DUE GENERAZIONI
...RDUE DISCIPLINE EDUCÒ
...DURATURA QUANTO LA SCIENZA

ALLA MEMORIA
DEL COMM. MICHELE GIUSEPPE DIONISIO
DOTTORE AGGREGATO ALLA FACOLTÀ DI LEGGE
IN QUESTA R. UNIVERSITÀ
N 30 GIUGNO 1799 M 30 NOV 1861

*30. 31. Chissà mai quanti sono gli studenti,
in altri crucci affaccendati, che si soffermano qualche volta
ad ammirare le composte proporzioni architettoniche
dell'Università torinese? L'edificio, che sorge tra via Po e via Verdi,
fu fondato nel 1720, ma la nascita della prestigiosa istituzione
cittadina risale al Quattrocento.*

32. Assieme a via Pietro Micca e a corso San Maurizio, via Po è la tipica eccezione che conferma la regola nel regolarissimo tessuto urbano torinese. Ne taglia infatti diagonalmente lo schema ortogonale scendendo da piazza Castello a piazza Vittorio Veneto. Così la disegnò Amedeo di Castellamonte nel 1675.

33. Uno scorcio di piazza Vittorio Veneto, la più vasta della città storica; per decenni luogo deputato a ospitare fiere e giostre, fu creata tra il 1825 e il 1830.

34. *Uomo d'armi e patriota risorgimentale, Guglielmo Pepe è ricordato da un monumento in piazza Maria Teresa. L'enfasi del gesto, in questi casi, è di prammatica.*

35. *In realtà è dedicata a Carlo Emanuele II, il duca di Savoia sotto il cui regno furono costruiti Palazzo Reale e la Cappella della Sindone, ma per i torinesi è più familiarmente piazza Carlina: al centro si erge il monumento a Cavour, opera del Dupré (1873).*

36. Piazza Cavour offre un'inattesa oasi di pace e verde nell'ordinato reticolo di vie del centro,
perennemente congestionate dal traffico automobilistico.

37. Un bel gioco di prospettive, non c'è che dire. Ma da qualsiasi punto la si guardi,
la Mole Antonelliana – qui dal piazzale Valdo Fusi – rimane l'incontrastata signora dei cieli torinesi.

38. Il superbo Palazzo Madama è qui visto da piazza Reale.
Se anche solo una volta si potessero far sparire per magia tutte le automobili, Torino sarebbe la più dechirichiana delle città.

39. È opera di Vincenzo Vela il monumento all'Alfiere dell'Esercito Sardo, offerto dai milanesi alla città di Torino nel 1859,
alla vigilia della seconda campagna per l'indipendenza d'Italia. Il dono fu decisamente di buon augurio.

Ora che è stata tutta rimessa a nuovo, con le sue avveniristiche fontane, è per certo una delle più belle che vi siano.
Ascanio Vitozzi, che la progettò nel 1584, la osserverebbe compiaciuto ancora oggi.

41. *Che strana chiesa è San Lorenzo, qui da piazza Reale:*
manca infatti della facciata, sostituita per amor di simmetria
da un prospetto di palazzo.
Ma all'interno il Guarini creò una delle sue opere più straordinarie,
una fantasmagoria barocca.

42. *Palazzo Madama fa da sfondo scenografico*
per una delle piste di pattinaggio più singolari al mondo.

42.

43. *Via Pietro Micca, qui vista da piazza Castello,
è una delle più eleganti del centro: venne aperta nel 1894 con un taglio diagonale
inferto alla scacchiera dei vecchi quartieri.*

44.

44. La prospettiva è insolita, ma si tratta di un'inquadratura del Teatro Regio:
il tempio torinese della lirica fu ricostruito in forme moderne dopo l'incendio del 1936
– e le successive distruzioni belliche – e inaugurato nel 1973.

45. La Galleria Subalpina, che collega piazza Castello a piazza Carlo Alberto,
fu completata nel 1874: da allora è il salotto bene della città, dove vien quasi naturale
parlare sottovoce.

46. L'imbocco di via Garibaldi da piazza Castello, all'alba:
si dice – ma perché dubitarne? – che questa sia la via pedonale più lunga d'Europa.
A destra si intravedono le inferriate del Palazzo della Regione Piemonte.

47. 49. La facciata orientale di Palazzo Carignano, opera del Bollati e del Ferri (1863),
è ispirata al Rinascimento Francese; di fronte, nella piazza omonima, si fa notare il monumento equestre di Carlo Alberto.
Il Guarini della facciata occidentale è però tutt'altra cosa.

48. 50. Le due immagini ritraggono un interno e uno scorcio del cortile di Palazzo Carignano;
il capolavoro di Guarino Guarini, portato a termine nel 1685, fu sede del primo Parlamento italiano
e oggi ospita il Museo Nazionale del Risorgimento.
Qui è nata l'Italia: qualche volta giova ricordarsene.

50.

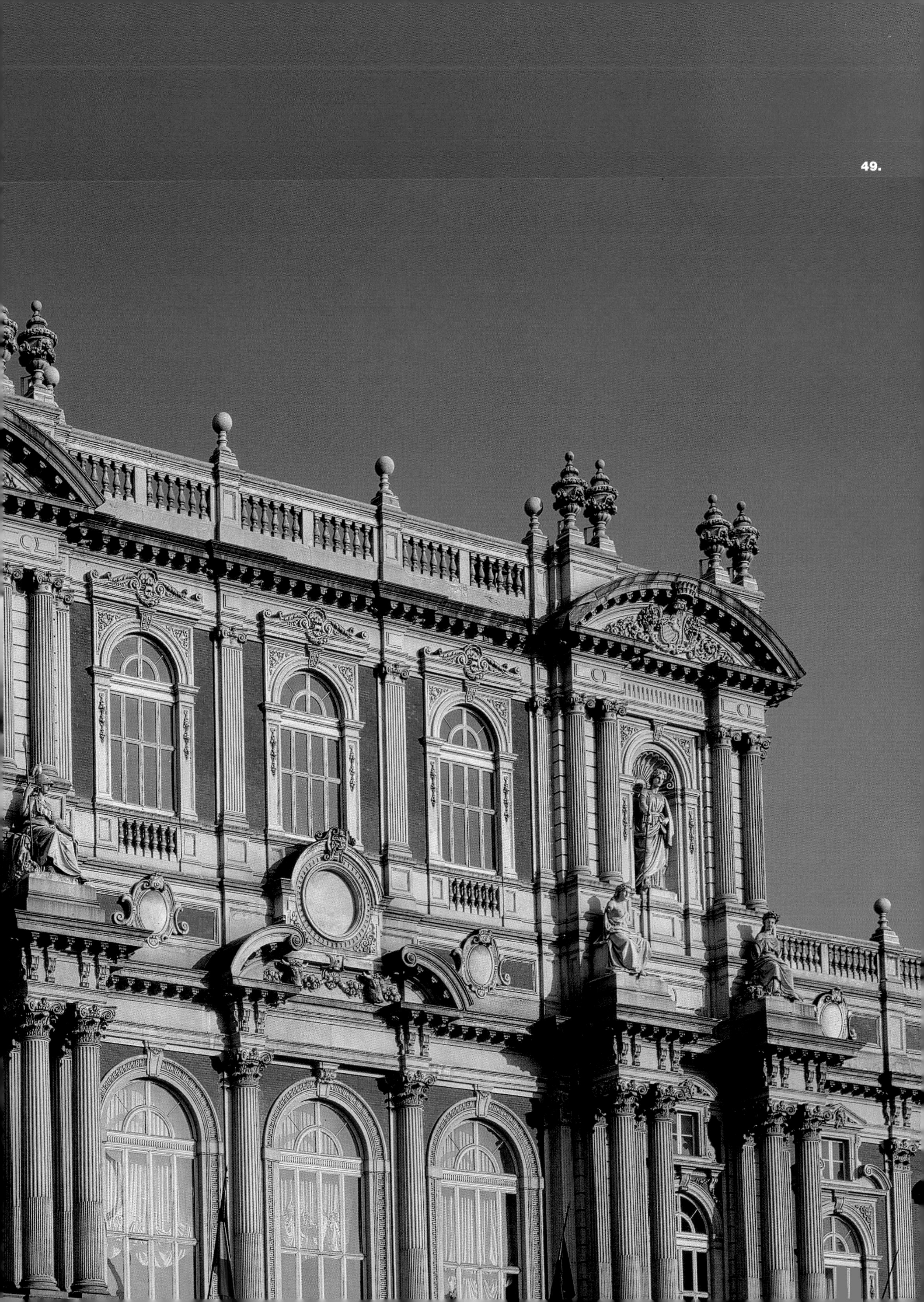

51. La statua di Vincenzo Gioberti fronteggia la magnifica facciata barocca di Palazzo Carignano, singolare per la vivacità delle linee e per l'effetto ottenuto dal modesto materiale laterizio lavorato a scalpello.

52. *Che tempra dovette avere Amedeo VI di Savoia, detto il «Conte Verde»:*
conquistò città e terre, difese i cugini Paleologi, combatté i Bulgari e i temutissimi Turchi.
Il monumento posto di fronte al Palazzo di Città lo ritrae così, guerriero senza paura.

53. *Di sicuro non è imponente e tantomeno fastoso,*
ma nelle sue timide forme rinascimentali il Duomo è monumento di riservata eleganza.
Eretto nel 1498, vanta in facciata tre ornati portali a bassorilievo,
con candelabre e girali di gusto squisito.

53.

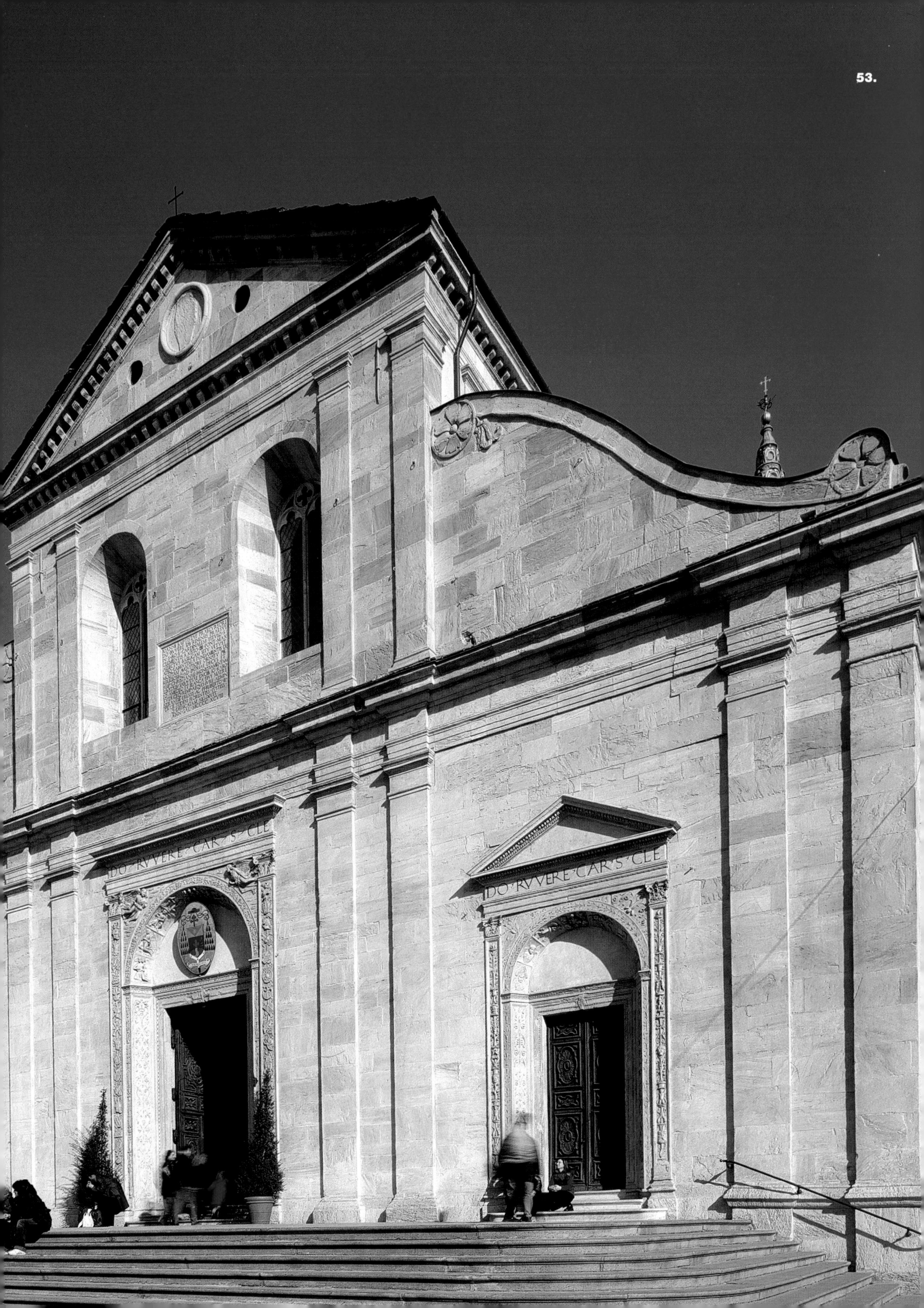

54. *Concitate figure di naiadi e tritoni animano la grande fontana
posta a ornamento dei magnifici giardini che si estendono come un'isola verde
sul retro del Palazzo Reale.*

55. *L'effigie di Ottaviano Cesare Augusto, fondatore di Augusta Taurinorum,
si erge dinnanzi alla Porta Palatina. La statua bronzea è copia moderna
del celebre originale marmoreo detto di Prima Porta,
custodito nei Musei Vaticani.*

56. *Il Santuario della Consolata, dinnanzi al quale si eleva la colonna con l'effigie della Vergine,*
è uno dei simboli religiosi della città. Architettonicamente è un singolare guazzabuglio di stili,
che vanno dal romanico, al barocco, al neoclassico.

57. *Punto focale della Chiesa di San Lorenzo, costruita da Guarino Guarini tra il 1668 e il 1680,*
è l'originalissima cupola, uno dei punti più elevati raggiunti dall'architettura barocca.

58.

58. Il «Caval 'd brons», posto al centro di piazza San Carlo,
è il monumento equestre più celebre di Torino: raffigura Emanuele Filiberto
nell'atto di ringuainare la spada dopo la battaglia di San Quintino, nel 1557.

59. 60. L'abbondante nevicata aggiunge pathos alle due inquadrature,
ma anche con il solleone piazza San Carlo rimane indubbiamente
una delle più belle d'Europa.
La dobbiamo al genio di Carlo di Castellamonte, che la compì nel 1640.

61. Uno sgargiante manto di stelle e costellazioni risplende su via Roma,
qui vista da piazza San Carlo, mentre sullo sfondo altre «Luci d'artista»
trasfigurano la stazione di Porta Nuova in un fiabesco palazzo
da Mille e una notte.

62. L'inconfondibile sagoma della stazione di Porta Nuova,
vista dai giardini pubblici di piazza Carlo Felice; costruita nel 1868,
in seguito al rimodernamento del sistema ferroviario cittadino verrà probabilmente adibita a nuovi usi.
Tuttavia, giungere a Torino in treno non sarà più la stessa cosa.

63. Sorge imponente e austero nel mezzo dell'omonimo largo il monumento a Vittorio Emanuele II;
a causa delle proporzioni non proprio felici, i Torinesi sono sempre stati irriguardosi
nei confronti della statua bronzea «corta di gambe».

64. *Troneggia in piazza Solferino e porta un nome poetico che mai si addice alle sue proporzioni massicce.*
è la «Fontana Angelica» - o delle «Quattro Stagioni» - e fu inaugurata nel 1930. Questo ne spiega forse la retorica magniloquenza.

65. *Il Genio della Scienza pare in procinto di involarsi dall'alto del monumento al Traforo del Fréjus, in piazza Statuto.*
Chissà perché, si mormora che questo sia uno dei luoghi più magici di Torino.

65.

66.

66. *Il Palazzo Falletti di Barolo, elegante realizzazione del tardo Seicento,
vanta un solenne scalone a doppia rampa e interni sontuosamente decorati;
qui fu ospite, fino alla morte, il patriota Silvio Pellico.*

67. *Generazioni di studenti hanno calcato questi gradini:
si tratta dello scalone dell'Accademia Albertina di Belle Arti,
istituita nel 1678 e trasferita nell'attuale sede da Carlo Alberto nel 1833.*

68. 69. *Il monumentale ingresso e uno scorcio interno di Palazzo Birago di Borgaro,
uno dei tanti monumenti che Torino deve alla fervida creatività di Filippo Juvarra;
l'edificio è oggi la sede di rappresentanza della Camera di Commercio.*

70. *Avveniristico e, all'epoca in cui fu costruito, perfino sbalorditivo:*
si tratta del Palazzo delle Mostre, meglio noto come Palazzo a Vela,
che fu eretto in occasione dei festeggiamenti per il centenario dell'unità d'Italia.

71. *Torino vanta diversi autorevoli esempi di architettura contemporanea:*
quello qui raffigurato è uno scorcio del Palazzo degli Affari,
sede della Camera di Commercio, realizzato tra il 1964 e il 1969
su disegno di Carlo Mollino con Carlo Graffi e Alberto Galardi.

71.

72. *Lo stabilimento FIAT-Lingotto, con la pista di prova sul tetto,*
sorse subito dopo la prima guerra mondiale e fu ritenuto all'avanguardia;
oggi, trasformato in centro espositivo e culturale polifunzionale, conserva il suo primato
grazie agli interventi di architetti come Renzo Piano, al quale si deve la nuovissima
Pinacoteca Giovanni e Marella Agnelli, detta «Lo scrigno».

73. 74. *Due vedute delle avveniristiche trasformazioni architettoniche*
che hanno fatto dello stabilimento del Lingotto un gran laboratorio di arte nuova,
polo della Torino proiettata verso il futuro.

75. *Giochi di riflessi e abile metafora visiva della continuità del prestigio di una grande casa automobilistica:*
il Lingotto si riflette sul lunotto posteriore di una moderna vettura FIAT.

76. *Sorge in corso Vittorio Emanuele II il nuovo Palazzo di Giustizia:*
i torinesi più tradizionalisti hanno storto il naso,
ma a molti questo esempio di nuova architettura non è dispiaciuto.

77. *Nei primi del Novecento Torino fu una delle città d'Europa in cui lo stile Liberty - ma altri lo chiamano Art Nouveau, o Jugendstil - trovò fertile terreno, grazie anche alla grande Esposizione di Arte Decorativa del 1902.*

78. 79. *Questi bei bovindo appartengono a un palazzo liberty che prospetta su via Ottavio Revel:*
il bovindo è una sorta di ambiente aggettante, un balcone tutto chiuso da vetrate tipico dell'architettura di primo Novecento.

80. *Un altro bell'esempio di architettura liberty è offerto da questo ingresso in via Asti, ai piedi della collina.*

81. *È datata al 1902 l'ornatissima Casa Tasca, situata in via Piffetti:*
una sorta di «torta Chantilly» che ben esemplifica il gusto per le decorazioni ridondanti
tipico dei primi anni del Novecento.

82. *L'elaborata ringhiera in ferro battuto e l'altorilievo allegorico riprodotti nell'immagine*
impreziosiscono la facciata di una palazzina in corso Montevecchio.

81.

83. *Pietro Fenoglio fu senz'altro l'architetto che meglio impersonò a Torino lo spirito eclettico dello stile Liberty: a lui si deve la celeberrima Casa La Fleur, in corso Francia.*

83.

84. 85. 86. *Le immagini colgono alcuni particolari architettonici*
di altrettanti palazzi liberty: un vero tripudio di immaginifica fantasia.

87. *L'Igloo di Mario Merz campeggia sulla nuova arteria*
creata con la copertura della ferrovia, al confine tra il quartiere della Crocetta
e quello di Borgo San Paolo.
Fa parte di una lunga serie iniziata nel 1968: in questa forma l'artista
riconosce l'energia strutturale della natura e «crea uno spazio esterno
con il fatto di essere misura di uno spazio interno».

88. *La Fondazione Sandretto Re Rebaudengo per l'Arte,
la cui sede torinese di via Modane è stata inaugurata
nel 2002, «opera nel campo dell'arte per dar vita
a un osservatorio sulla ricerca e sulla produzione
delle avanguardie e per far conoscere al pubblico
i fermenti e le tendenze dell'arte contemporanea».*

89. *Il Museo Egizio di Torino,
che ha sede in Palazzo Accademia delle Scienze,
è notoriamente uno dei maggiori al mondo nel suo genere:
qui possiamo ammirare il gruppo statuario
raffigurante il dio Amon-Ra e il giovane Tutankhamon.*

89.

90. *La statua di Ramesse II, scolpita in basalto nero,
è uno dei fiori all'occhiello del Museo Egizio;
durante il regno di questo celeberrimo faraone fu tra l'altro costruito
il tempio di Abu Simbel.*

91. *Ancora un prezioso reperto dalle collezioni del Museo Egizio:
il coperchio in basalto del sarcofago di Jaba, gran sacerdote di Tebe.*

90.

91.

92. 93 *La Villa della Tesoriera, in corso Francia,*
è circondata da un amenissimo parco dove è posto, tra l'altro,
il monumento a Edmondo de Amicis, l'immortale autore di Cuore.

94. *Torino è una metropoli capace di sorprendere, e in molti modi:*
difficile infatti immaginare che in pieno centro un qualsiasi cortile
possa celare una visione così bucolica.

95. La città è giustamente celebre anche per i suoi locali storici,
ove si respira un'atmosfera deliziosamente rétro:
uno di questi è senz'altro il Caffè Platti, sotto i portici
di corso Vittorio Emanuele II.

96. La piccola ma espressiva statua di Gianduja
spicca sulla facciata del teatro omonimo, in via Santa Teresa,
dedicato alla popolare maschera torinese e nel quale alcune sale
ospitano il Museo della Marionetta.

96.

97. 98. 99. Nei pressi di piazza della Repubblica
si estende il quartiere popolarmente noto come «Balon»,
celebre per il mercatino delle pulci che si tiene lungo le sue vie ogni sabato:
in questo pittoresco marasma si può trovare letteralmente di tutto.

100. Ancora uno splendido tramonto
sull'inconfondibile profilo della città.
Da qualsiasi angolazione, la Mole Antonelliana
non passa certo inosservata.

101. Il ponte Principessa Isabella scavalca il Po,
ai piedi della verdeggiante collina: pare impossibile
che a pochissima distanza imperino il caos e il traffico
della moderna metropoli.

101.

102. *Riportata al suo originario splendore*
da una lunga campagna di restauro,
la Palazzina di Caccia di Stupinigi costituisce forse il massimo risultato
raggiunto dall'arte dello Juvarra, che la progettò nel 1729.
Per certo è una delle più sontuose regge d'Europa.

103. *Torino dà il meglio di sé:*
un bel tramonto, il Po, il Borgo Medievale, il Castello del Valentino
e l'aerea guglia della Mole Antonelliana.

103.

104. Un progetto *ambizioso* e un nuovo traguardo per la città:
Torino ospiterà nel 2006 i Giochi Olimpici Invernali.
Un'occasione imperdibile per ritornare sotto le luci della ribalta internazionale.

Buongiorno, Torino!

Massimo Gramellini, giornalista de La Stampa, è nato a Torino in via San Secondo all'inizio degli anni Sessanta. È cresciuto nel quartiere di Santa Rita, in un appartamento (ma a Torino si dice «alloggio») affacciato sullo Stadio Comunale. Ha dato il suo primo bacio e mangiato la sua prima farinata al Monte dei Cappuccini, però non nello stesso giorno. Ha studiato alla Scuola Statale Leone Senigallia, al Collegio San Giuseppe e a Palazzo Nuovo. Lavora a Roma, ma torna spesso a Torino per la villeggiatura.

Dario Fusaro nasce in provincia di Venezia nel 1955, inizia a lavorare prima come grafico e illustratore, poi come fotografo. Collabora con diverse riviste e case editrici. Ama fotografare i giardini, l'architettura e il paesaggio (urbano e non). Tra i titoli pubblicati con Priuli & Verlucca, editori: Torino a piedi, Piemonte, Tra monti e filari, Tra castelli e vigne, Torino. Con Phelina, edizioni d'arte e suggestione ha pubblicato Attimi di Torino e Milano. Con Formagrafica ha pubblicato La Sacra di San Michele e con Electa Mondadori Geometrie e botanica.